Offert par sa
amie Léa B
a Siylène . 7. 06 . 2012

Loi n° 49.956 du 16 juillet 1949
sur les publications destinées à la jeunesse.
© Éditions Nathan, 2008.
ISBN : 978-2-09-251791-8
N° d'éditeur : 10145329 - Dépôt légal : avril 2008
Imprimé en Italie

questions **3/6 ans** réponses

Les châteaux forts

Texte d'**Agnès Vandewiele**
Illustrations d'**Olivier-Marc Nadel**

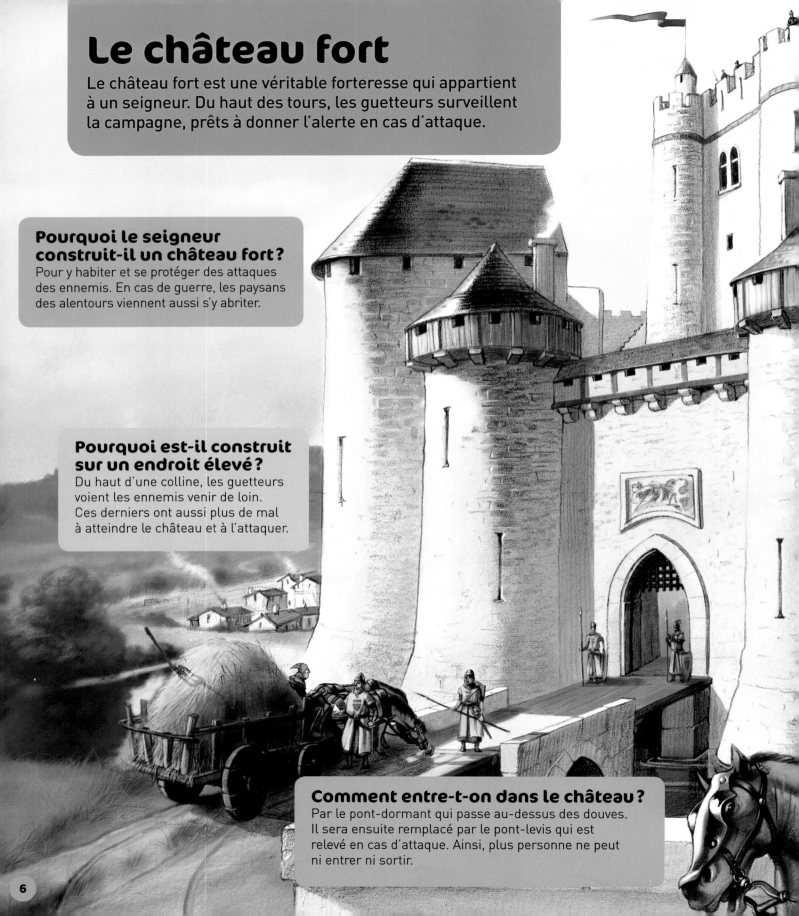

Le château fort

Le château fort est une véritable forteresse qui appartient à un seigneur. Du haut des tours, les guetteurs surveillent la campagne, prêts à donner l'alerte en cas d'attaque.

Pourquoi le seigneur construit-il un château fort ?

Pour y habiter et se protéger des attaques des ennemis. En cas de guerre, les paysans des alentours viennent aussi s'y abriter.

Pourquoi est-il construit sur un endroit élevé ?

Du haut d'une colline, les guetteurs voient les ennemis venir de loin. Ces derniers ont aussi plus de mal à atteindre le château et à l'attaquer.

Comment entre-t-on dans le château ?

Par le pont-dormant qui passe au-dessus des douves. Il sera ensuite remplacé par le pont-levis qui est relevé en cas d'attaque. Ainsi, plus personne ne peut ni entrer ni sortir.

C'est quoi, une enceinte ?

Ce sont les murailles et les tours qui entourent le château. Elles sont très hautes pour empêcher les ennemis de les escalader.

Les châteaux forts sont-ils tous pareils ?

Non, chaque seigneur choisit la forme de son château et les matériaux utilisés. Aussi, il n'existe pas deux châteaux identiques !

Qu'y a-t-il dans la plus haute tour ?

C'est le donjon, la tour principale. On y trouve les réserves de nourriture, la grande salle pour les événements importants, les chambres du seigneur et de sa famille, et, tout en haut, la salle des gardes.

Pourquoi y a-t-il des fossés remplis d'eau autour du château ?

Pour empêcher les ennemis d'entrer : ce sont les douves. La profondeur de l'eau dépasse la hauteur d'un homme debout !

Cherche dans l'image !

une fourche

un garde

une bannière

7

La construction du château

Les châteaux évoluent au fil des siècles : ils sont de plus en plus solides et permettent une meilleure défense. Chaque partie a été longuement réfléchie !

Pourquoi le haut des murs est-il découpé ?
Ces découpures permettent aux défenseurs de tirer des flèches, tout en s'abritant derrière la partie haute du rempart : on les appelle des « créneaux ».

Pourquoi utilise-t-on des pierres ?
Parce que c'est un matériau plus solide que le bois, qui était utilisé pour les premiers châteaux.

C'est long de construire un château fort ?
Cela peut prendre jusqu'à 20 ans si c'est un grand château et nécessiter des centaines d'ouvriers.

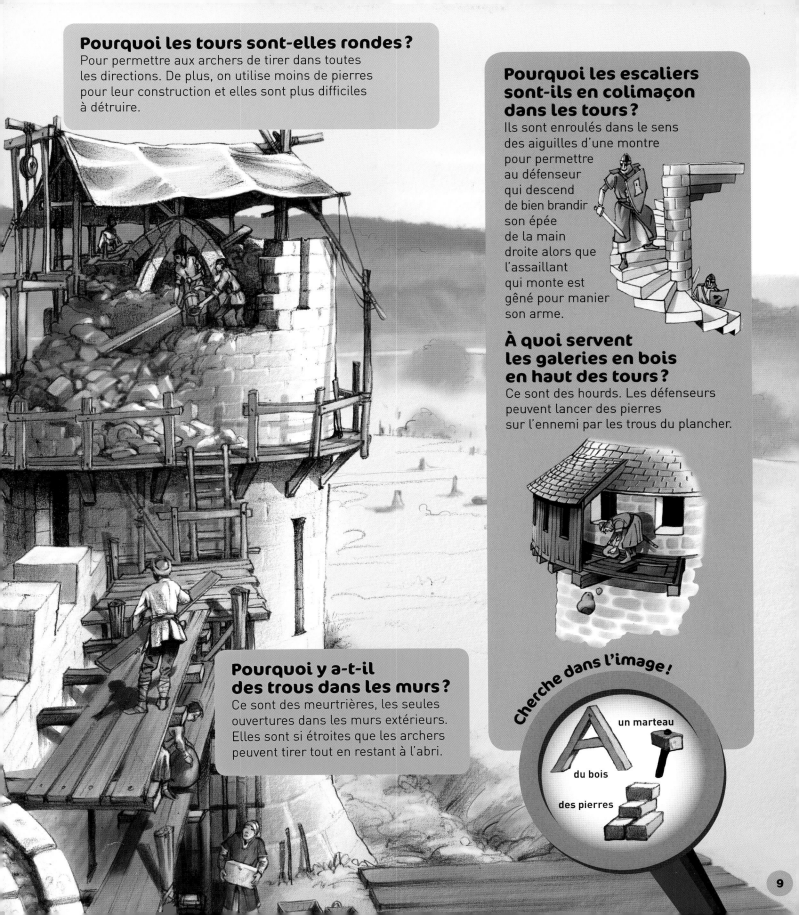

Pourquoi les tours sont-elles rondes?

Pour permettre aux archers de tirer dans toutes les directions. De plus, on utilise moins de pierres pour leur construction et elles sont plus difficiles à détruire.

Pourquoi les escaliers sont-ils en colimaçon dans les tours?

Ils sont enroulés dans le sens des aiguilles d'une montre pour permettre au défenseur qui descend de bien brandir son épée de la main droite alors que l'assaillant qui monte est gêné pour manier son arme.

À quoi servent les galeries en bois en haut des tours?

Ce sont des hourds. Les défenseurs peuvent lancer des pierres sur l'ennemi par les trous du plancher.

Pourquoi y a-t-il des trous dans les murs?

Ce sont des meurtrières, les seules ouvertures dans les murs extérieurs. Elles sont si étroites que les archers peuvent tirer tout en restant à l'abri.

Cherche dans l'image!

un marteau

du bois

des pierres

Vivre au château

Le château est un vrai village, plein de vie : seigneur, artisans, paysans et serviteurs s'y croisent tous les jours. Certains y vivent, d'autres y travaillent ou sont juste de passage.

À quoi servent les bâtiments autour de la cour d'entrée ?
À loger les artisans qui fabriquent tout ce dont on a besoin au château. Il y a aussi les abris des animaux.

Qui s'occupe des chevaux ?
Le palefrenier les soigne et les nourrit ; le maréchal-ferrant s'occupe des fers de leurs sabots.

Est-ce qu'il y a beaucoup d'animaux ?
Oui, des moutons, des chèvres, des vaches, des poules et des cochons. Ils produisent de la nourriture, de la laine et du cuir.

Combien le seigneur a-t-il de chevaux ?

Au moins 3 chevaux : le sien, celui de son écuyer et un autre pour transporter son équipement.

Qui fabrique les armes des chevaliers ?

L'armurier fabrique et répare les épées, les lances et les haches, ainsi que les casques et les armures.

Les paysans viennent-ils souvent au château ?

Oui, ils y apportent leur récolte ; une partie est donnée au seigneur en échange de sa protection. Ils viennent aussi cuire leur pain dans le four de la cuisine et moudre le blé dans le moulin du château.

Qui habite dans le château ?

Le seigneur et sa famille, ceux qui les protègent, les serviteurs et les artisans. Près d'une centaine de personnes peut y vivre.

Cherche dans l'image !

une poule

une amphore

un cochon

11

Le seigneur et sa famille

Le faucon sur son poing, le seigneur montre son autorité.
Sa famille profite de nombreux privilèges : de bons repas
et une bonne éducation pour les enfants.

Le seigneur a-t-il beaucoup d'enfants ?

Oui, car souvent ils meurent très
jeunes de maladie et il veut être sûr
d'avoir un fils, l'aîné en principe,
pour diriger le château à sa mort.

Que fait le seigneur toute la journée ?

Quand il ne fait pas la guerre,
il s'occupe de son domaine, dirige
ses hommes, rend la justice
et organise les chasses,
les tournois et les banquets.

À quel âge les enfants quittent-ils leurs parents ?

Vers 7 ans, les garçons sont envoyés chez
un autre seigneur pour devenir chevaliers.
Les filles, elles, quittent le château
vers 15 ans lorsqu'elles se marient.

Quel est le rôle de sa femme ?

Elle dirige les serviteurs, gère les cuisines, veille sur l'éducation des enfants, accueille les invités et s'occupe du domaine quand son mari est absent. Mais ce sont les nourrices qui allaitent les bébés.

Les enfants font-ils du sport ?

Oui, les garçons pratiquent l'équitation, la lutte, le lancer de javelot et de pierres. Les filles apprennent à danser et à monter à cheval en amazone.

Les enfants savent-ils lire ?

Les enfants du seigneur, oui ! Ils apprennent le Latin, mais aussi à lire et à écrire avec la personne la plus instruite du château : le chapelain, un homme d'Église.

Les filles et les garçons sont-ils élevés de la même façon ?

Non, les garçons doivent s'entraîner à manier les armes pour aller au combat. Les filles, destinées à tenir le château, apprennent la couture et la broderie, et à jouer d'un instrument de musique.

Cherche dans l'image !

une épée en bois

un métier à tisser

un faucon

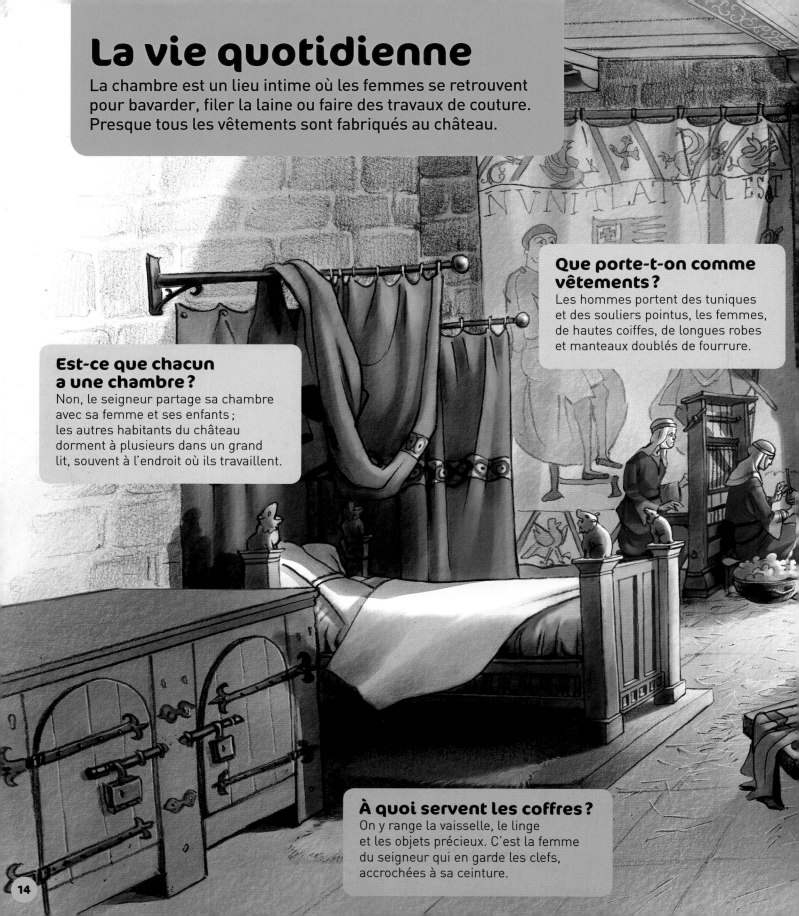

La vie quotidienne

La chambre est un lieu intime où les femmes se retrouvent pour bavarder, filer la laine ou faire des travaux de couture. Presque tous les vêtements sont fabriqués au château.

Que porte-t-on comme vêtements ?
Les hommes portent des tuniques et des souliers pointus, les femmes, de hautes coiffes, de longues robes et manteaux doublés de fourrure.

Est-ce que chacun a une chambre ?
Non, le seigneur partage sa chambre avec sa femme et ses enfants ; les autres habitants du château dorment à plusieurs dans un grand lit, souvent à l'endroit où ils travaillent.

À quoi servent les coffres ?
On y range la vaisselle, le linge et les objets précieux. C'est la femme du seigneur qui en garde les clefs, accrochées à sa ceinture.

Où fait-on pipi et caca ?

Dans les latrines ! Ce sont des toilettes construites dans l'épaisseur des murs. Assis sur un siège, on y fait ses besoins qui sont évacués dans les douves par un trou. On s'essuie avec de la toile ou du foin.

Comment soigne-t-on les malades ?

Le médecin examine le malade, tâte son pouls, regarde ses urines et le soigne avec des plantes spéciales cueillies dans le jardin du château. On prie aussi pour demander à Dieu la guérison.

Où se lave-t-on ?

Dans un baquet en bois : on pose à l'intérieur un drap pour ne pas se blesser avec des échardes. L'eau, chauffée, est parfumée avec des herbes.

Comment se chauffe-t-on et s'éclaire-t-on ?

On fait des feux de bois dans de grandes cheminées et on s'éclaire avec des bougies de cire, des chandelles, des torches et des lampes à huile.

Cherche dans l'image !

de la laine

une bobine de fil

une bougie

Le banquet

Dans la grande salle, les tables à tréteaux sont dressées pour le banquet. Tandis qu'aux cuisines les marmitons préparent de nombreux plats, les invités profitent des spectacles.

Où sont assis le seigneur et sa femme ?

À la table d'honneur, avec leurs invités. Elle est placée sur une estrade. Les autres invités sont sur des tables basses.

Comment mange-t-on ?

Pas de couverts, on mange avec les doigts ! Et on utilise une épaisse tranche de pain rassis, le tranchoir, en guise d'assiette. Seul le seigneur a de la belle vaisselle à sa table.

Qui est invité au banquet ?

De riches seigneurs et des chevaliers qui combattent à leurs côtés. Tous les habitants du château peuvent aussi participer au banquet.

Comment se déroule le repas ?

Le repas dure très longtemps. Aussi, jongleurs, acrobates et musiciens distraient les invités entre chaque plat, et des sucreries et rafraîchissements sont servis : ce sont les entremets.

Est-ce qu'il y a beaucoup à manger et à boire ?

Oui, dans les grands banquets, il peut y avoir jusqu'à 30 plats ! On y mange de la viande, du gibier, du poisson, de la volaille et aussi des cygnes, des paons, des hérons ; pour le dessert, des fruits du verger et de petits gâteaux. On y boit du vin, de la bière et de l'eau.

Qui sert les plats ?

Les pages servent la table du seigneur. L'écuyer tranchant, lui, est chargé de servir les autres tables et de découper le gibier, d'où son nom. L'échanson sert le vin.

Cherche dans l'image !

un poulet   une cruche

un gobelet

Jeux, fêtes et divertissements

Après le banquet, place à la musique et à la danse !
Jongleurs, troubadours, bouffons et montreurs d'ours
déploient mille talents pour distraire les invités.

Qu'est-ce qu'un troubadour ?

C'est un poète qui récite des poèmes d'amour
ou de longs récits de chevalerie.

Avec quoi joue-t-on de la musique ?

Avec des flûtes, des tambourins,
de l'orgue de barbarie, du psaltérion,
mais aussi du luth, de la vielle
et du rebec, des ancêtres du violon.

Y a-t-il souvent des fêtes ?

Oui, lors de tournois, mariages,
parties de chasse, adoubements
de chevaliers ou grandes fêtes
religieuses.

Est-ce qu'on danse ?

Oui, des farandoles comme les virelais, les rondeaux et les caroles : plusieurs personnes, en file, se tiennent la main et dansent en sautant.

La grande salle ne sert-elle qu'à donner des fêtes ?

Non, le seigneur y réunit aussi ses chevaliers, discute avec eux avant de partir en guerre, et y rend la justice.

Les gens du château jouent-ils parfois ?

Oui ! Pendant les longues soirées d'hiver, ils jouent au trictrac, un jeu de dés avec des pions, aux dames et aux échecs. Quand il fait beau, ils jouent dehors au jeu de crosse, l'ancêtre du hockey, et à colin-maillard.

À quoi jouent les enfants ?

Ils jouent avec des petits arcs, des balles, des chevaux de bois, des cerceaux, des toupies et des échasses. Les garçons jouent au chevalier et les filles à la poupée.

Cherche dans l'image !

le fou du roi

une balle

une vielle

La chasse

Le seigneur organise souvent sur ses terres des parties de chasse. C'est un divertissement qui lui sert aussi d'entraînement à la guerre.

Quelles armes utilisent les chasseurs ?

Des couteaux, des épées, des épieux et même des lances. Parfois, avec de petites arbalètes, ils lancent des flèches sur des petits gibiers comme les lièvres.

Quels animaux chasse-t-on ?

Des daims, des chevreuils, des cerfs, des sangliers, mais aussi des loups et des ours.

Pourquoi chasse-t-on ?

Pour se nourrir, mais pas seulement !
La chasse est aussi le loisir préféré
des chevaliers ; elle les entraîne
à l'équitation et au maniement des armes,
et entretient les muscles et l'adresse.

Les femmes vont-elles à la chasse ?

Oui, elles pratiquent la chasse
au faucon. Une fois lâché, il se jette
sur sa proie, un canard, un héron
ou un faisan, par exemple ; il la prend
dans ses serres et l'apporte à la dame.

Pourquoi les chasseurs emmènent-ils des chiens ?

Dressés pour flairer et dépister
le gibier, ils le poursuivent et l'effraient
en aboyant ; puis ils le cernent jusqu'à
l'arrivée des chasseurs.

Est-il dangereux d'aller à la chasse ?

Oui, certaines bêtes, comme
le sanglier, sont féroces, surtout
si elles sont blessées. Pour protéger
leurs chiens, les chasseurs leur mettent
des colliers hérissés de pics.

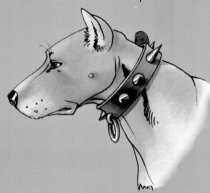

Que fait-on du gibier capturé ?

Si c'est du gros gibier, il est rôti
à la broche dans la grande cheminée
de la cuisine et est servi au banquet
suivant. Le gibier est le plat préféré
des chevaliers.

Cherche dans l'image !

un cor

un faucon

un chapeau

Les chevaliers

Les chevaliers sont des guerriers qui se battent
pour un seigneur ou un roi à qui ils ont juré fidélité.
Mais devenir chevalier, c'est un long apprentissage !

Les chevaliers sont-ils courageux ?

Oui, ils doivent être bons, forts et courageux.
Ils prêtent serment pour protéger les faibles,
les femmes et les orphelins, et être fidèles à Dieu.

Qui peut devenir chevalier ?

Un garçon de famille noble ! À 7 ans, il est envoyé chez un autre
seigneur comme galopin : il astique ses armes, brosse
son cheval et nettoie l'écurie. Vers 9-10 ans, il devient page :
il apprend à chasser, à monter à cheval et à manier les armes.

Qu'est-ce qu'un écuyer ?

Vers 14 ans, le garçon qui veut être chevalier continue son apprentissage et devient l'écuyer d'un seigneur. Il le suit au combat, porte son bouclier, s'occupe de son armure et de ses chevaux.

Comment devient-on chevalier ?

Lors de l'adoubement. L'écuyer, vers 18 ans, passe la veille de la cérémonie en prière. Le lendemain, il reçoit ses armes et sa bannière et jure fidélité à son seigneur. Celui-ci lui donne alors un violent coup sur la nuque : la colée.

Quelles sont les armes du chevalier ?

Une épée et une lance pour attaquer l'ennemi ; un casque, le heaume, un vêtement en métal sous l'armure, la cotte de maille, une armure, ainsi qu'un bouclier pour le protéger des coups.

L'armure est-elle lourde ?

Oui ! Au 14e siècle, les armures pèsent presque 25 kilos. Le chevalier met une heure pour l'enfiler et doit se faire aider. Il ne peut pas non plus monter sur son cheval tout seul. Heureusement, son destrier est robuste et solide. Il peut porter plus de 100 kilos.

Comment reconnaît-on un chevalier sous son armure ?

Grâce au blason, une figure colorée, gravée sur son bouclier, l'écu, ou peinte sur sa tunique, sa bannière ou le caparaçon du cheval. Dans une bataille, il permet de distinguer les amis des ennemis.

Cherche dans l'image !

un étendard

un heaume

une épée

Joutes et tournois

Les cavaliers, armés d'une lance, s'élancent à toute vitesse et chargent leurs adversaires sous les applaudissements des spectateurs. Qui va gagner ?

Pourquoi les chevaliers se battent-ils ?
Pour s'entraîner à la guerre. Les chevaliers montrent ainsi leur vaillance et leur habileté au combat.

Comment les chevaliers sont-ils équipés ?
Ils portent une armure plus lourde et plus résistante que celle du combat et un casque. Leur cheval est aussi protégé par une sorte d'armure, le caparaçon.

Est-ce qu'il y a des blessés ?
Parfois, oui ! Pour éviter les blessures et rendre le combat moins dangereux, la pointe en acier des lances est arrondie.

Comment gagne-t-on un combat?

Dans une joute, il faut faire tomber son adversaire de son cheval. Dans un tournoi, il faut capturer ses adversaires, puis demander une rançon pour les libérer.

Un tournoi et une joute, est-ce que c'est pareil?

Non, dans un tournoi, plusieurs chevaliers en équipe s'affrontent. Il y a parfois une centaine de combattants. Une joute est un combat entre deux chevaliers. Elle n'apparaît qu'à la fin du 14e siècle.

Comment s'entraînent les chevaliers?

En jouant à la quintaine! Le chevalier doit frapper avec sa lance un mannequin. Celui-ci pivote et lance un bâton ou un sac sur le chevalier qui doit éviter le coup. Il a droit à 5 essais, d'où le nom de quintaine.

Que gagne le vainqueur?

Il prend les armes, l'armure et le cheval du vaincu, et peut aussi recevoir de l'or ou de l'argent.

Cherche dans l'image!

une lance

un écu

un drapeau

25

Le château assiégé

Les attaquants lancent un premier assaut. Une pluie de flèches et de boulets volent dans toutes les directions. Les assiégés tentent coûte que coûte de résister.

Qui attaque le château ?

Une armée ennemie qui veut s'emparer du château et des terres du seigneur. Elle encercle les murailles pour empêcher les habitants de s'échapper.

Est-ce qu'on peut mettre le feu au château ?

Oui, en envoyant des flèches enflammées sur les hourds, les galeries en bois au sommet des tours.

Quelles armes utilisent les attaquants ?

Des catapultes, comme les mangonneaux et les trébuchets, qui lancent de grosses pierres pour détruire les murs ; et une énorme poutre de bois, le bélier, pour enfoncer la lourde porte d'entrée. Ils ont aussi des arcs, des épées et des haches.

Comment se défendent les gens du château ?

La garnison, composée de soldats, d'archers et d'arbalétriers, et les chevaliers lancent des flèches, des pierres et toutes sortes de choses : des ordures, de l'eau bouillante, etc.

Comment franchit-on les murailles ?

Avec des grandes échelles ou un beffroi : c'est une tour roulante, remplie de soldats, assez haute pour atteindre le sommet des remparts.

Si le siège dure longtemps, les gens vont-ils mourir de faim ?

En principe, ils ont stocké assez de nourriture et d'eau dans le donjon pour résister plusieurs jours.

Que deviennent les gens du château si l'ennemi gagne ?

Au mieux, ils sont faits prisonniers et donnent leurs terres. Mais la plupart du temps, ils sont tués.

Cherche dans l'image !

un assaillant

une hache

un carquois

Quel est le plus grand château fort ?

L'une des plus grandes forteresses médiévales d'Europe se trouve en Pologne et s'étend sur 21 hectares. Elle est composée de 3 châteaux, dont celui de Malbork (Marienbourg).

Y a-t-il des châteaux forts dans tous les pays ?

Oui, dans presque tous les pays d'Europe mais aussi dans les pays du Moyen-Orient, comme la Syrie, où sont passées les croisades, des expéditions militaires chrétiennes.

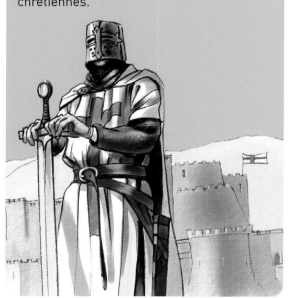

Quel est le plus haut donjon d'Europe ?

Celui de Coucy : il mesurait 55 mètres de haut ! Les donjons atteignaient en général 30 mètres de haut.

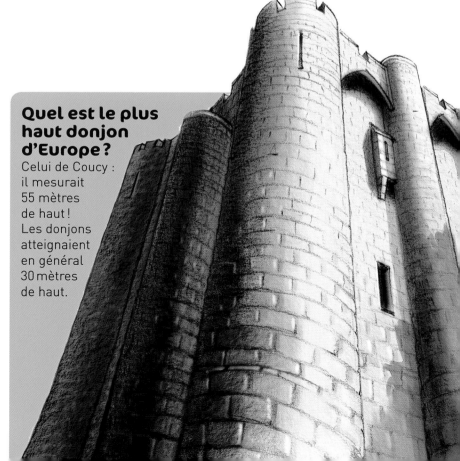

Un archer peut-il tirer loin ?

S'il utilise un grand arc anglais, il peut atteindre une cible à 300 mètres ! Bien entraîné, il peut tirer 12 flèches à la minute, à plus de 100 mètres.

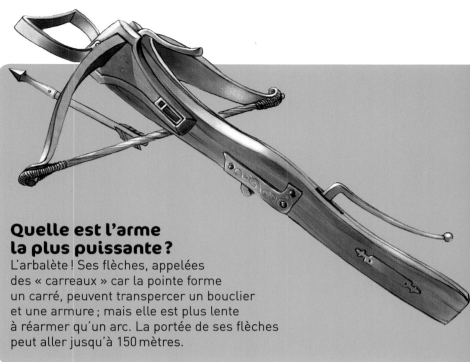

Quelle est l'arme la plus puissante ?

L'arbalète ! Ses flèches, appelées des « carreaux » car la pointe forme un carré, peuvent transpercer un bouclier et une armure ; mais elle est plus lente à réarmer qu'un arc. La portée de ses flèches peut aller jusqu'à 150 mètres.

Les catapultes peuvent-elles lancer de très grosses pierres ?

Oui, le trébuchet peut envoyer des boulets de 50 à 90 kilos. Le projectile est tiré en arrière, puis il est lâché d'un seul coup. Le lancer est si puissant qu'il détruit les murs.